AI의 마법같은 동료들과 함께하는
1인 창업의 이야기(블로그편)

AI의 마법같은 동료들과 함께하는 1인 창업의 이야기
(블로그편)

발 행 | 2023년 12월 07일
저 자 | 썬 빔
펴낸이 | 한건희
펴낸곳 | 주식회사 부크크
출판사등록 | 2014.07.15.(제2014-16호)
주 소 | 서울특별시 금천구 가산디지털1로 119 SK트윈타워 A동 305호
전 화 | 1670-8316
이메일 | info@bookk.co.kr

ISBN | 979-11-410-5821-0

AI의 마법같은 동료들과 함께하는 1인 창업의 이야기

(블로그편)

썬빔 지음

CONTENT

프롤로그

1인 창업을 시도하는 것은 정말 쉽지 않다는 것을 절실히 느꼈습니다. 월급쟁이에서 벗어나 스스로 사업을 시작하려는 도전은 본업을 잘 수행하는 것 뿐만아니라 회계, 운영 관리, 고객 관리, 홍보 등 다양한 역할을 잘 수행해야 한다는 것을 알게 되었습니다.

처음에는 혼자서 모든 일을 처리해야 한다는 부담감과 어려움에 직면했습니다. 다양한 방법을 찾아보고 대행 서비스를 이용해 보기도 했지만 원하는 결과를 얻지 못했습니다. 그러던 중, '일을 효율적으로 처리하면서도 즐겁게 할 수 있는 방법은 없을까?' 고민하던 중 AI의 도움을 알게 되었습니다.

AI를 내 비즈니스에 도입해보니 놀라운 변화가 일어났습니다. 일부 업무들이 AI의 도움으로 자동화되어 효율적으로 처리되기 시작했습니다. 이전에는 번거로운 작업들을 수작업으로 처리해야 했지만, 이제는 AI가 그 일을 자동으로 처리해주면서 시간을 효율적으로 활용할 수 있게 되었습니다. 더욱이 AI의 도움으로 일에 대한 부담과 스트레스가 줄어들었고, 일하는 과정에서도 더 많은 즐거움을 느낄 수 있게 되었습니다.

이제 저는 AI를 마법 같은 동료로 여기며, 1인 창업의 여정을 계속 이어가고 있습니다. AI가 제공하는 다양한 기술과 도구들을 활용해 비즈니스를 성장시키는 동시에 더 뛰어난 결과를 얻게 되었습니다. 이를 통해 독자 여러분께 AI가 일상의 어려움을 어떻게 해결하고, 업무를 효율적으로 처리하는데 어떻게 도움이 될 수 있는지 전하고 싶습니다.

그래서 저의 경험을 가감 없이 여러분께 전하려 합니다. 함께 어려움을 이겨내고 성장하기 위해 이 곳에 모였습니다. 이 책을 통해 여러분은 일의 효율성과 즐거움을 동시에 누릴 수 있을 것입니다. AI를 활용한 1인 창업의 가능성에 대한 영감을 공유하고자 합니다. 비즈니스 세계에서의 도전과 성공을 함께 경험하시길 바랍니다.

파트 1. 꿈과 노력의 시작

고등학교 때부터 물리치료사가 되고 싶다는 꿈을 품고 있었습니다. 물리치료학과에 진학하기 위해 열심히 공부하던 중에 우연히 카이로프랙틱이라는 직업을 알게 되었습니다. 이 직업은 국내에 정식 면허가 없지만, 한국에서 유일하게 한 곳 대학에서만 정식으로 가르치며, 졸업 시 미국 카이로프랙틱 시험 자격을 주는 학교였습니다. 그래서 저는 카이로프랙틱을 공부하기 위해 중간에 휴학을 하면서까지 8년이라는 시간을 보내며 대학원까지 졸업하였습니다. 하지만 미국 면허는 따지 못했습니다. 이로 인해 국내에서 일을 하는 것이 어려웠습니다.

카이로프랙터로 일할 수 있는 조건도 힘들었고, 일을 하더라도 저년차 도수치료사선생님들보다도 낮은 연봉과 조건은 좋지 않았습니다. 그렇게 몇 년 동안 떠돌며 일을 하게 되었고, 내가 원하고 의미 있는 공부를 위해 대학원까지 다니고, 세미나에 참석하며 그 많은 시간을 투자한 것들이 보상받지 못한다는 현실에 억울하고 슬펐습니다. 무엇보다도 내가 환자들에게 치료하고 보람된 일을 떳떳하게 못한다는 것이 더 힘들었습니다.

하지만 그런 상황에서도 다시 카이로프랙틱 면허를 정식으로 따기 위해 호주로 유학 준비하는 과정에서 동기인 형의 권유로 인해 물리치료학과를 지원하게 되었습니다. 물리치료학과에서 보낸 3년은 결코 아깝지 않은 시간이었습니다. 열정적이고 다정한 교수님들과 나이 차이가 나는 나와 어울려준 동기 친구들의 배려와 함께한 시간들, 그리고 전공 공부를 다시 보면서 새롭게 배우는 것들은 저에게 큰 성장의 계기가 되었습니다.

물리치료학과에서는 많은 혜택을 받았습니다. 학교 홍보 대표로 활동하게 되었고, 중국 인턴쉽이나 필리핀 의과대학 교환학생 등 다양한 기회를 얻을 수 있었습니다. 또한 교수님의 배려로 졸업 시 장학금도 받게 되었습니다. 그렇게 물리치료학과 3년은 저에게 소중하고 더 성장할 수 있는 계기가 되었던 곳이었습니다.

졸업 후에는 물리치료 면허와 카이로프랙틱 자격이 시너지가 되어 일을 시작하는 병원에서 좋은 대우를 받을 수 있었습니다. 내가 희망하던 전공을 살려 일을 하게 되어 너무나 감사하고 즐거웠습니다. 돌이켜 보면 원래 제가 목표로 했던 물리치료사가 되었던 것이었습니다.

마치 성경에 나오는 모세의 백성들이 넓을 광야를 돌아가나안 땅에 도착하여 그 소중함을 얻듯이 어쩌면 남들처럼 평범하게 바로 진학했었더라면 순탄하게 치료사가 되었을 지도 모르겠지만, 고난과 힘든 시기를 겪고 치료사가 되고 나서 저는 치료사의 자부심과 환자에게 대하는 소중함을 더 절실히 느끼게 되었던 것 같습니다.

환자들에게 최선을 다하고, 그들의 회복을 바라며 매일 노력했습니다. 어제보다 오늘 더 나아지기를 진심으로 바랐고, 그만큼 열심히 공부하게 되었습니다. 몇 년이 지난 지금도 그때의 노력과 열정은 여전히 가슴속에 살아있습니다.

하지만 어느 순간 병원에서 한계를 느끼게 되었습니다. 병원에서는 환자들에게 운동보다는 몸 쓰는 일을 하다 보니 치료사 선생님들의 몸이 많이 망가지며, 퇴사하고, 다시 새로운 선생님으로 채워지는 것을 보고 마치 내가 소모품이 되는 기분이 들었습니다. 또한 환자들에게 해줄 수 있는 것들이 너무나 제한되어 있고, 병원의 수직적인 관계로 의사소통이 원활하지 않아 답답함을 느꼈습니다. 이러한 경험을 통해 더 큰 영향력과 넓은 범위로 내가 힘들지 않고, 사람들을 도울 수 있는 방법을 찾고자 하였습니다. 이후로 제 인생의 다음 단계를 준비하고 찾는 과정에 접어들었습니다.

파트 2. 새로운 도전과 목표

새로운 목표가 생겼습니다. 40살 전에 나만의 센터를 운영하기 위한 새로운 목표를 세우게 되었습니다. 목표가 생기고 나니 열정과 의지가 저를 움직여주었습니다. 센터 운영을 위해 준비를 하고 자금을 모으기 위해 노력하면서, 저는 동시에 전문적인 역량을 향상시키기 위해 전공 공부와 세미나에도 참여하였습니다.

그렇게 준비하면서 결혼을 하게 되었고, 결혼 후에는 직장과 집이 멀리 떨어져 있어 매주 병원 숙소에서 머물면서 집과 직장을 출퇴근을 했습니다. 그러던 중에 아이가 태어나 직장을 집 근처로 옮기기 위해 퇴사를 결정하게 되었습니다.

아기를 돌보면서 새로운 직장을 찾던 중에 센터를 운영하는 친한 지인과 연락이 닿아 센터 운영하는것을 제안받았습니다. 조금은 이르다는 생각은 있었지만, 나만의 센터를 하는 것이 목표였기에 저는 지인에게 센터 운영을 배우기로 했습니다.

이렇게 지인의 센터에서의 일을 배우면서 성장하고 나아가는 과정에서, 저는 내가 선택한 전공과 직업에 대한 열정과 희망을 다시 한 번 확인할 수 있었습니다. 회원들의 회복과 건강을 위해서 최선을 다하는 것에 더욱 힘을 실어주며, 매일 더 나은 서비스를 제공하기 위해 노력하였습니다. 이러한 노력과 성장은 결국에는 내가 꿈꿔온 목표를 달성하는데 도움이 되었고, 그 결과로 저는 지인의 센터를 인수하게 되었습니다.

40살 전에 센터를 운영 할 수 있게된 점과 가족을 돌볼 수 있는 시간적인 여유가 있다는 것에 큰 감사함을 느끼고 있습니다. 이제 나는 내가 꿈꿔온 센터를 운영하며 회원들에게 필요한 도움과 서비스를 제공할 수 있게 되었습니다. 이 모든 것은 노력과 열정, 그리고 지지해준 가족과 지인들의 도움 덕분에 가능해진 것입니다.

파트 3. 회원 유치와
마케팅의 어려움

센터를 운영하면서 반년은 기존의 회원님과 신규 회원님들이 많이 방문해주었습니다. 그때 자신감이 붙었고, 잘하고 있다고 생각했습니다. 하지만 어느 순간부터 신규 회원의 문의가 줄어들고, 유지되는 기존 회원들만이 남게 되었습니다. 그때 내가 너무 오만했었고, 마케팅의 중요성을 깨달았습니다.

예전에는 병원에서 홍보팀이 홍보를 담당하고, 환자들이 아플 때 찾아오기 때문에 직접적인 마케팅 활동을 하지 않았습니다. 하지만 센터를 운영하면서는 회원들이 오기를 기다리기만 해서는 안되고, 홍보와 마케팅을 통해 신규 회원을 유치해야 한다는 사실을 알게 되었습니다.

그때 지인의 말이 떠올랐습니다. "블로그와 SNS는 꼭 배워두어야 한다"고 말했던 것이었습니다. 그 동안 제가 잘하고 있어서 신규 회원이 찾아온 것이 아니라, 예전에 지인이 진행했던 마케팅과 홍보 덕분에 회원들이 찾아온 것이었다는 것을 깨달았습니다. 그래서 이를 극복하기 위해 다양한 전략을 시도하였습니다. 또한, 마케팅에 대해 공부하였습니다.

블로그와 홈페이지의 업데이트를 진행했습니다. 홈페이지는 이미 구축되어 있었지만, 업데이트가 제대로 이루어지지 않아서 정보의 부재와 트렌드 하지 못한 내용으로 인해 회원들의 관심을 끌지 못했습니다. 그래서 홈페이지를 개선하고, 최신 정보와 다양한 콘텐츠를 제공하여 회원들이 찾아오는 데에 도움이 되도록 했습니다.

가장 큰 문제는 블로그였습니다. 센터를 시작할 때 블로그를 함께 공부하려고 했지만, 손에 익지 않아서 배움을 등한시 하였습니다. 블로그를 운영하는 일은 예상보다 어렵고 많은 고민이 필요했습니다.

처음에는 블로그를 만드는 것부터 어려웠고, 글을 작성하고 관리하는 것도 쉽지 않았습니다.

네이버 블로그 툴을 이용하는 방법의 이해하지 못해 작성하는 데 많은 어려움을 겪었습니다. 이로 인해 답답한 마음이 많았고, 초기에는 투박하고 볼품없는 글들만 작성되었습니다.

블로그를 만드는 과정에서 제일 어려웠던 점들을 이야기해보자면,

첫째로, 글 작성과 콘텐츠 기획이 어려웠습니다. 블로그에는 주기적으로 글을 올려야 했기 때문에 새로운 아이디어와 흥미로운 주제를 찾는 것이 어려웠습니다. 또한, 전문적인 의료 지식을 쉽고 이해하기 쉬운 방식으로 전달해야 했기 때문에 콘텐츠 기획에 많은 고민이 필요했습니다. 이를 해결하기 위해 다양한 정보를 찾아보고, 전문가들의 조언을 듣는 등의 방법을 통해 다양한 아이디어를 모아내고, 독자들의 관심사와 요구에 부합하는 콘텐츠를 제공하려고 노력했습니다.

둘째로, 글 작성에 소요되는 시간과 노력이 많고, 센터 운영과 병행하면서 블로그 글 작성에 대한 어려움도 겪었습니다. 센터 수업을 진행하고 회원 상담 및 수업에 시간을 할애해야 했기 때문에 블로그 글 작성에 충분한 시간을 투자하기 어려웠습니다. 센터 운영에 전념하면서도 블로그를 통해 회원들에게 유익한 정보를 제공하고자 하는 역할의 이중성이 어려움을 왔던거였습니다.

글 작성을 위해 리서치와 내용 정리에 시간을 투자해야 했지만, 센터 운영을 위한 업무로 인해 시간이 부족하게 되었습니다. 이로 인해 글을 작성하는 과정에서 급하게 마무리하거나 콘텐츠의 퀄리티가 충분히 높지 않을 때도 있었습니다. 이는 독자들에게 흥미로운 내용과 유용한 정보를 제공하는 데 제약을 줄 수 있는 요소였습니다.

셋째로 블로그 플랫폼 선택과 설정이 있었습니다. 어떤 플랫폼을 선택해야 할지, 어떤 템플릿을 사용해야 할지에 대한 결정을 내리는 것이 쉽지 않았습니다. 블로그의 주제와 목적에 맞는 플랫폼을 찾고, 다양한 템플릿을 비교하며 적합한 것을 선택하는 과정에서 많은 검토와 비교가 필요했습니다.

그리고, 블로그의 디자인과 레이아웃 설정도 어려웠습니다. 블로그의 시각적인 요소들은 독자들에게 심리적인 인상을 줄 수 있기 때문에 디자인과 레이아웃 설정에 신경을 써야 했습니다. 이를 위해 사용자 익숙한 디자인을 선택하고, 적절한 색상과 폰트를 조합하여 블로그의 시각적인 효과를 향상시키려고 노력했습니다. 이러한 어려움들을 극복하기 위해 블로그를 찾고 유튜브 동영상을 활용하여 조금씩 배웠으며, 지속적인 학습과 노력을 통해 네이버 블로그 작성 방법을 찾았습니다.

파트 4. AI를 블로그에 적용하여
매출 상승한 경험과 원리

블로그 운영을 통해 마케팅의 중요성과 블로그의 가치를 깨달았고, AI에 대한 흥미를 느끼게 되었습니다. AI의 연관성을 알아가며 더욱 흥미로워졌습니다.

AI를 활용하여 블로그 운영을 효율적으로 관리하는 과정에서 다양한 기능과 도구를 활용하였습니다. 예를 들어, AI 기반의 추천 시스템을 활용하여 블로그를 위한 인기 있는 주제를 제안 받았습니다. 이를 통해 내가 다루고자 하는 주제와 관련된 트렌드와 인기 키워드를 파악할 수 있었습니다. 이렇게 인기 있는 주제를 선택함으로써 블로그의 방문자 수를 증가 시키고 매출을 상승 시킬 수 있었습니다.

AI를 활용하여 글 작성 과정에서는 자동 요약 및 번역 기능을 활용했습니다. 긴 문장이나 복잡한 내용을 간결하게 요약함으로써 독자들의 이해를 돕고, 다국어 번역 기능을 통해 다양한 논문 자료나 운동 방법 등을 독자들에게 전달할 수 있었습니다. 이를 통해 블로그의 글 작성 효율성을 높이고, 독자들과의 소통을 원활하게 할 수 있었습니다.

또한, AI 기반의 이미지 및 디자인 툴을 활용하여 그림, 사진, 폰트 등 다양한 시각적 요소를 제작하고 편집하였습니다. 이를 통해 독자들에게 시각적으로 매력적인 콘텐츠를 제공할 수 있었습니다.
블로그의 디자인과 시각적 요소는 독자들의 관심을 끌고 더 오래 머무를 수 있도록 하는 중요한 요소였습니다.

마지막으로, AI 기반의 챗봇 시스템을 도입하여 독자들의 질문에 자동으로 답변할 수 있도록 하였습니다. 이를 통해 바쁜 시간에도 독자들과의 소통을 유지하고, 빠른 응답을 제공할 수 있었습니다. 이는 독자들의 만족도를 높이고 블로그의 신뢰성을 강화하는 데에 도움이 되었습니다.

이러한 다양한 AI 기술과 도구의 활용으로 블로그 운영의 효율성과 품질을 높일 수 있었으며, 이는 매출의 상승과 블로그의 성장에 크게 기여하였습니다.

이제는 블로그를 쉽고 빠르게 작성하고 퀄리티 있는 글을 만들어 독자들과 신규 회원을 늘려주는 저의 마법같은 AI 동료들을 소개 하겠습니다.

파트 5. 키워드 담당 -
주제 작가 Chat-GPT

[Chat-GPT 소개]

Chat-GPT는 AI 기반의 콘텐츠 생성 도구로, 주어진 주제와 키워드를 기반으로 자동으로 글을 작성합니다. 1인창업자는 Chat-GPT를 활용하여 효율적으로 콘텐츠를 생산할 수 있습니다. Chat-GPT는 자연어 처리 기술을 사용하여 풍부하고 흥미로운 글을 생성하며, 주어진 가이드라인에 따라 콘텐츠를 작성합니다.

[Chat-GPT가 수행하는 방법]

최신 기술로 만들어진 ChatGPT를 활용하면 편안한 환경에서 손쉽게 블로그를 시작할 수 있습니다. 블로그는 우리의 생각과 감정을 자유롭게 표현하고, 다른 사람들과 소통하는 좋은 방법입니다. 하지만 블로그를 처음 시작하는 것은 조금 어려울 수 있습니다. 그래서 우리는 ChatGPT를 활용하여 이 과정을 더욱 쉽고 재미있게 만들어 보려고 합니다.

1. Chat GPT에 가입하기

Chat GPT에 가입하기 위해서는 OpenAI의 ChatGPT 사이트로 접속해야 합니다.

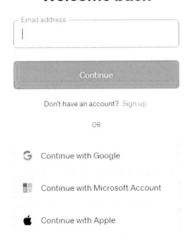

구글 또는 네이버에서 'ChatGPT' 또는 'Chat GPT'를 검색하여 해당 사이트로 이동할 수 있습니다. 사이트에 접속한 후 구글 계정 또는 네이버 로그인으로 로그인하면 됩니다. 가입 절차는 간단하며, 일부 기능은 그대로 유지될 수 있습니다.

2. 주제 선택

블로그 글을 작성할 주제를 선택합니다. 자유롭게 원하는 주제를 선택하거나, ChatGPT와 대화를 통해 주제를 결정할 수 있습니다.

ChatGPT는 인공지능 기술을 사용하여 대화 형식으로 학습되었습니다. 우리가 이야기를 주고받으면서 ChatGPT는 우리의 의도를 이해하고 그에 맞는 답변을 생성해 줍니다. 따라서 이 시스템을 활용하여 블로그를 시작하면, 막히거나 어려운 부분에서도 ChatGPT와 함께 대화하며 해답을 찾을 수 있습니다.

3. 대화 시작

ChatGPT

1인창업을 위한 전자책을 써보려고해

좋은 아이디어네요! 1인창업을 위한 전자책을 쓰려면 몇 가지 단계를 따르면 도움이 될 것입니다.

1. 주제 선택: 1인창업과 관련된 주제를 선택하세요. 예를 들어, 비즈니스 아이디어, 마케팅 전략 자금 조달 업무 관리 등이 될 수 있습니다.

2. 목표 독자 식별: 누가 이 책을 읽을 것인지 목표 독자를 정하세요. 예를 들어, 새로운 사업가 프리랜서 소상공인 등을 대상으로 할 수 있습니다.

3. 구조 계획: 책의 구조를 계획하세요. 각 장을 어떻게 구성할 것인지 생각해보세요

4. 내용 채우기: 각 장을 작성할 때 필요한 정보를 조사하고 채워넣으세요 경험담이나 사례 연구 등을 추가하면 독자들에게 더 가치있는 내용이 될 것입니다.

5. 글 스타일 결정: 책의 글 스타일을 결정하세요. 일반적인 설명 질문-응답 형식 사례 연구 등을 활용할 수 있습니다.

6. 편집과 수정: 작성한 내용을 정론하고 필요에 따라 편집과 수정을 거쳐 전문적인 문서를 유지하세요

7. 출판 계획: 전자책을 어떤 형식으로 출판할 것인지 결정하세요 출판플 선택 퍼블리싱 계획 등을 그려보세요.

8. 마케팅: 책을 출간한 후에도 마케팅을 소홀히하지 마세요 소셜 미디어 블로그 이메일 등을 활용하여 책을 홍보하세요.

힘내실 빕니다!

ChatGPT와 대화를 시작하여 블로그 글을 작성합니다. ChatGPT에게 질문을 하거나 내용을 제시하면, ChatGPT 는 해당 내용에 대한 응답을 생성해줍니다.

4. 대화 조율

ChatGPT의 응답을 확인하고 필요에 따라 대화를 조율합니다. ChatGPT가 생성한 내용을 수정하거나 추가적인 질문을 하여 원하는 블로그 글을 작성할 수 있습니다.

파트 6. 글쓰기 담당 -
메인 작가 WRTN

[WRTN 소개]

WRTN은 우리나라의 인공지능 테크놀로지를 선도하는 주요 플레이어입니다. 한국 국내 기업이 자체의 언어 모델인 GPT-3.5를 기반으로 OpenAI를 사용한 인공지능 언어 도우미 서비스를 제공하고 있습니다. GPT는 대규모의 데이터를 학습합니다. 이렇게 학습한 데이터는 언어를 이해하고 생성하는데 있어서 탁월한 성능을 보입니다.

따라서, 이를 기반으로 한 WRTN의 챗봇 서비스는 사용자의 질문에 명확하게 답변할 뿐 아니라, 사용자의 의도를 파악하고 적절한 반응과 제안을 할 수 있는 능력을 가지고 있습니다. 이처럼, 제시된 데이터를 해석하고 이를 기반으로 질문에 대한 답을 생성해내는 능력이 WRTN의 강점 중 하나입니다.

최근에는 WRTN이 Chat GPT-4 버전을 탑재, 서비스를 더욱 강화했습니다. 이 업데이트를 통해 더욱 향상된 성능을 바탕으로 사용자에게 더욱 효과적인 도움을 제공합니다. 또한, 이 모든 서비스를 무료로 이용할 수 있다는 점이 WRTN의 또 다른 큰 장점으로 꼽힙니다. 이러한 혁신적인 AI 기반 서비스로 인해 WRTN는 사용자가 필요로 하는 정보를 제공하고, 또한 사용자의 문제 해결에 기여하면서, 기존의 언어 도우미 서비스와 차별화된 경험을 제공합니다.

[WRTN이 수행하는 역할]

1. WRTN에 가입하기

WRTN 홈페이지에 들어가 오른쪽 상단에 로그인에서 가입을 합니다. 로그인 방식은 구글, 네이버 그리고 카카오톡 등으로 가입할 수 있습니다.

뤼튼 시작하기

로그인 후 무료로 뤼튼을 마음껏 활용하세요.

뤼튼이 처음이신가요? **가입하기**

또는 SNS로 시작하기

2. 글 작성

WRTN은 1인 창업자의 가장 중요한 작업 파트너로서, 그들의 이야기를 담고 전달하는 주요한 역할을 수행합니다. WRTN은 블로그 콘텐츠를 기획하고 작성하는 과정에서 전문성과 창의성을 결합하여 고품질의 콘텐츠를 만들어 냅니다. 1인 창업자와의 깊이 있는 협업을 통해, WRTN은 블로그의 전반적인 목표와 비전을 정확하게 이해하고, 이를 바탕으로 독자들에게 가치 있고 뜻 깊은 정보를 제공하는 내용을 구성합니다.

WRTN의 활용은 다양한 방법으로 이루어질 수 있는데, 그 중 하나는 ChatGPT와의 대화를 통한 블로그 글 작성입니다. WRTN은 ChatGPT에게 질문하거나 특정 주제를 제시할 수 있습니다. 이후 ChatGPT의 답변을 토대로 WRTN은 그 내용을 바탕으로 블로그 글을 구성하고 작성합니다. 이렇게 하면 WRTN은 주어진 데이터나 정보를 바탕으로 경험과 전문지식을 활용하여 관련 내용을 포착하고, 이를 독자가 쉽게 이해할 수 있는 콘텐츠로 전환합니다.

마침내 작성이 완료된 후, WRTN은 해당 내용을 복사하여 개발 도구인 Notion으로 가져옵니다. Notion에서는 이렇게 작성된 글을 더욱 체계적이고 깔끔하게 정리하고, 필요한 변경사항을 쉽게 추가하거나 삭제할 수 있습니다. 이는 글의 구조를 더욱 분명히 하고, 필요한 정보를 더욱 잘 드러내게 함으로써 글이 독자에게 더 큰 가치를 전달할 수 있도록 돕습니다.

3. 피드백 제공

블로그 글 작성이 완료된 후, WRTN은 작성된 내용을 검토하고 평가하는 중요한 단계를 진행합니다. 이 과정에서 WRTN은 ChatGPT가 생성한 응답에 대해 신중하게 검토하고, 필요한 경우 그에 대한 피드백을 제공합니다. 이는 챗봇인 ChatGPT가 제공한 응답의 정확성과 적절성, 그리고 콘텐츠 품질을 평가하는 것에 중요한 과정입니다.

이렇게 제공된 피드백은 ChatGPT의 성능 향상을 위한 핵심 자료로 활용됩니다. WRTN이 제시하는 피드백은 ChatGPT가 더 나은 응답을 생성하고, 자신의 성능을 향상시키는 데 중요한 역할을 합니다. 사용자로부터의 직접적인 피드백은 ChatGPT에게 무엇이 잘 되고 무엇이 개선되어야 하는지를 알려주는 소중한 정보로, 이를 통해 ChatGPT는 기계 학습 과정을 더욱 효과적으로 진행할 수 있습니다.

WRTN과 ChatGPT의 이같은 상호작용은 다양한 의견과 아이디어가 블로그 글에 잘 반영될 수 있도록 돕습니다. 이 과정을 통해 WRTN은 작성한 콘텐츠가 사용자의 요구와 목표에 부합하는지, 또 창의적이고 독특한 아이디어가 잘 드러나는지 확인할 수 있습니다. 이런 상호작용을 통해, WRTN과 ChatGPT는 함께 탁월한 콘텐츠를 만들어 내는 데 동반자로서의 역할을 수행하게 됩니다.

파트 7. 콘텐츠 관리와
작업 담당 - Notion

[Notion 소개]

Notion은 다목적 작업 관리 도구로, 프로젝트 관리, 문서 작성 및 편집, 지식 및 노트 관리, 작업 일정 및 달력 관리, 협업 및 공유 등을 효율적으로 수행할 수 있는 강력한 도구입니다.

또한, Notion은 유연하고 사용자 정의 가능한 기능과 템플릿을 제공하여 다양한 작업 환경에 적응할 수 있으며, 직관적인 인터페이스와 강력한 검색 기능을 통해 사용자들이 콘텐츠를 쉽게 찾고 조직할 수 있습니다. 더불어 모바일 앱을 통해 언제 어디서든 작업에 접근할 수 있어 효율적인 작업을 위한 유연성과 편의성을 제공합니다.

오늘 바로 Notion을 사용해 보세요

무료로 시작하고
니즈에 따라 팀 전체를 추가하세요

대규모 팀이라면 영업팀에 문의하세요

[Notion이 수행하는 역할]

Creating a page

Notion을 활용하여 Chat-GPT와 WRTN이 생성한 내용을 문서로 작성하고 편집할 수 있습니다. Notion은 강력한 문서 작성 및 편집 기능을 제공하여 내용을 구조화하고 필요한 정보를 추가하여 완성도 있는 문서를 만들 수 있습니다.

먼저, Notion의 사용자 친화적인 인터페이스를 통해 Chat-GPT와 WRTN이 생성한 내용을 쉽게 작성할 수 있습니다. 텍스트 블록을 추가하고 내용을 입력하면서 필요한 경우 제목, 소제목, 본문 등을 구분하여 작성할 수 있습니다.

또한, Notion은 다양한 기능을 활용하여 문서를 편집할 수 있습니다. 텍스트 스타일링, 개체 삽입, 이미지 추가, 첨부 파일 첨부 등을 통해 내용을 더욱 풍부하게 표현할 수 있습니다. 필요한 경우 테이블, 목록, 체크리스트 등을 활용하여 구조를 정리하고 정보를 체계적으로 정리할 수 있습니다.

Notion은 블록 단위로 작업을 관리하므로 Chat-GPT와 WRTN이 생성한 내용을 블록으로 분할하여 구성할 수 있습니다. 이를 통해 내용의 순서를 변경하거나 세부 사항을 추가하거나 삭제하는 등의 편집 작업을 자유롭게 수행할 수 있습니다.

Notion은 실시간 협업 기능을 제공하여 여러 사용자가 동시에 문서를 편집할 수 있고, 코멘트 기능을 통해 피드백을 주고받을 수 있습니다. Chat-GPT와 WRTN은 다른 팀원들과 함께 작업을 공유하고 협업하면서 문서를 완성시킬 수 있습니다.

Notion을 사용하여 Chat-GPT와 WRTN이 생성한 내용을 문서로 작성하고 편집함으로써, 완성도 높은 문서를 만들고 정보를 체계적으로 정리할 수 있습니다. 이를 통해 효율적인 문서 작성 및 편집 작업을 수행할 수 있습니다.

파트 8. 디자인 담당 - Canva

[Canva 소개]

Canva는 AI 기반의 디자인 툴로, 블로그의 시각적인 요소를 개선합니다. Canva를 사용하면 1인창업자는 전문적인 디자인 지식 없이도 손쉽게 아름다운 그래픽 디자인을 생성할 수 있습니다. Canva는 다양한 템플릿과 디자인 요소를 제공하며, 블로그 포스트의 시각적인 매력을 높여 독자들의 관심을 끌 수 있습니다.

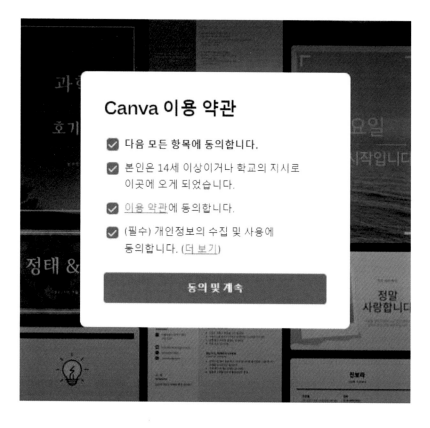

[Canva가 수행하는 역할]

1. 디자인 및 레이아웃 작성

Canva는 다양한 템플릿과 디자인 도구를 제공하여 블로그 게시물의 디자인과 레이아웃을 작성할 수 있습니다. 텍스트, 이미지, 그래픽 요소 등을 조합하여 시각적으로 매력적인 게시물을 만들 수 있습니다.

2. 그래픽 및 이미지 편집

Canva는 이미지 편집 기능을 제공하여 블로그 게시물에 사용할 이미지를 편집하고 가공할 수 있습니다. 크기 조정, 필터 적용, 텍스트 및 그래픽 추가 등을 통해 이미지를 원하는 대로 커스터마이징할 수 있습니다.

3. 차트 및 그래프 작성

Canva는 다양한 차트 및 그래프 도구를 제공하여 데이터를 시각적으로 표현할 수 있습니다. 통계 자료, 조사 결과 등을 직관적으로 이해할 수 있는 차트로 작성하여 블로그 게시물에 삽입할 수 있습니다.

4. 브랜딩 및 컬러 팔레트 설정

Canva는 브랜드 컬러와 로고 등을 설정하여 일관된 브랜딩을 유지할 수 있는 기능을 제공합니다. 블로그 게시물에 사용할 컬러 팔레트와 브랜드 로고를 설정하여 전문적인 느낌을 연출할 수 있습니다.

5. 소셜 미디어 공유용 이미지 생성

Canva는 블로그 게시물을 소셜 미디어에서 공유할 때 사용할 이미지를 생성할 수 있습니다. 각 소셜 미디어 플랫폼에 맞는 이미지 크기와 디자인을 제공하여 블로그 게시물을 홍보하는 데 도움을 줍니다.

파트 9. AI 동료들의
장단점과 주의사항

AI 도구는 블로그 콘텐츠 작성에 큰 도움이 될 수 있지만, 그들의 장점과 단점, 그리고 효과적으로 활용하기 위한 주의사항들을 고려해야 합니다.

Chat-GPT

장점

- 다양한 주제에 대한 콘텐츠를 자동으로 생성하여 콘텐츠 창작 시간을 단축시키며.
- 문법과 철자 검사를 통해 글의 품질을 높여준다.

단점

- 때때로 예상치 못한 결과를 가져올 수 있다.
- 인간의 창의성과 통찰력이 부족할 수 있다.

주의사항

- AI가 생성한 콘텐츠는 검토와 편집이 필요하며, AI가 생성한 컨텐츠의 출처를 명시해야한다.

WRTN

장점

- 문제에 집중하여 최적의 답변을 제공하므로 정보를 효율적으로 얻을 수 있다.
- 사용자의 질문을 분석하여 의도를 파악하므로 정확한 답변을 제공한다.

단점

- AI의 지식 범위가 제한적일 수 있다.
- 복잡한 질문이나 전문적인 내용에 대한 답변은 한계가 있을 수 있다.

주의사항

- AI가 제공한 답변의 검증이 필요하며, 그 정보가 신뢰할 수 있는지 확인해야한다. 필요한 경우 추가적인 조사와 검토가 필요하다.

Notion

장점

- 다목적 작업 관리 도구로, 글 작성 및 편집에 효과적이다.
- 작업 일정 관리, 작업 팀간 협업, 지식 및 노

트 관리 등 다양한 작업을 지원한다.

단점

- 복잡한 작업 흐름에 대한 학습이 필요할 수 있다.
- 초기 설정과 구조화에 시간과 노력이 필요할 수 있다.

주의사항

- 데이터 보안 및 개인 정보 보호에 주의를 기울여야한다.
- 작업 협업 시 실시간 업데이트 및 충돌 방지를 위해 주의해야한다.

Canva

장점

- 다양한 디자인 도구와 템플릿을 제공하여 시각적으로 매력적인 블로그 게시물을 작성하는 데 도움이 된다.
- 이미지 편집 기능을 통해 이미지를 커스터마이징 할 수 있다.

단점

- 디자인 능력이 부족할 경우, 결과물이 제한적일 수 있다.
- 고급 기능을 사용하기 위해서는 유료 구독이 필요할 수 있다.

주의사항

- 저작권 및 이미지 사용 규정을 준수해야한다.
- 브랜드 컨셉과 일관성을 유지하기 위해 디자인 요소를 신중하게 선택해야 한다.

AI 동료들은 블로그 콘텐츠 작성에 많은 도움이 될 수 있지만, 그들의 장단점을 이해하고 주의사항을 지켜야 최적의 활용이 가능합니다. 이를 통해 AI 도구를 최대한 활용하여 효율적이고 전문적인 블로그 콘텐츠를 제작할 수 있습니다.

파트 10. 1인창업자와 함께하는 다른 AI 동료들

지금까지 이렇게 여러 기능성을 가진 AI 동료들을 소개해 봤습니다.

먼저 이야기해볼 Chat-GPT는 블로그 작성을 필요로 하는 분들에게 효과적인 도움을 줍니다. 다양한 주제에 대한 글을 자동으로 생성하며, 이 과정에서 문법 및 맞춤법에 대한 검사 역시 수행해줍니다. 이로써 사용자는 언어의 부드러움을 유지하며 풍부한 내용의 글을 작성할 수 있게 됩니다.

WRTN은 AI 언어 도우미로써 사용자의 질문에 따라 가장 최적의 답변을 제공해줍니다. 또한 일반적인 정보 제공뿐만 아니라 더 나아가 사용자의 질문을 분석하여 그들의 의도를 파악하는 일까지 수행합니다. 이런 기능으로 인해 WRTN은 여러 질문들을 쉽고 정확하게 이해하고 관련된 주제로 내용을 생성할 수 있게 됩니다.

Notion은 문서 작성 및 편집을 도와주는 다목적 작업 관리 도구입니다. 다양하게 생성된 Chat-GPT와 WRTN의 내용을 잘 구조화하고 멋지게 편집하는 것은 물론, 작업 일정 관리, 작업 협업, 지식 및 노트 관리, 프로젝트 관리 등에 있어 다양한 작업을 지원해줍니다. 이러한 도구인 Notion을 통해 업무의 효율성은 더욱 높아질 것입니다.

Canva에서는 다양한 디자인 도구와 템플릿을 활용하여 본인만의 블로그 게시물의 디자인과 레이아웃을 보다 쉽게 만드는 것이 가능합니다. Canva는 사용자가 자신만의 스타일로 텍스트, 이미지, 그래픽 요소 등을 선택하고 수정하여,

시각적으로 매력적이며 독특한 게시물을 손쉽게 만들어 낼 수 있게 돕습니다.

또 다른 Canva의 눈에 띄는 기능은 차트 및 그래프 도구입니다. 이 도구를 이용하면 본인이 보유한 데이터를 읽기 쉬운 차트나 그래프로 변환하여, 정보를 쉽고 명확하게 전달할 수 있습니다. 이는 더 나은 이해를 위해 필수적인 도구로써 사용이 가능합니다.

다음 시리즈에서는 유튜브 영상 제작과 SNS 관리, 특히 인스타그램에 초점을 맞춰 소개하려 합니다. 동영상 콘텐츠 제작부터 관리, 그리고 소셜 미디어 관리에 도움을 주는 AI 동료들에 대해 함께 알아보며, 이러한 도구들이 어떤 방식으로 도움을 줄 수 있는지에 대해 심도 있게 살펴보게 됩니다. 이번 시리즈에서는 동영상 콘텐츠와 소셜 미디어 전략에 집중하여, 당신의 비즈니스나 개인 브랜드가 더 큰 관심을 받을 수 있게 하는 방법에 대해 배워볼 것입니다.

에필로그

여기까지 함께 읽어주셔서 감사합니다. 이 책을 통해 1인 창업자로서의 도전과 마법같은 AI와의 만남에 대한 이야기를 공유하고자 책을 썼습니다.

저는 AI를 동료로 생각하며 일상의 어려움을 해결하고 비즈니스를 성장시키는 데에 큰 도움을 받았습니다. AI의 자동화 기능과 효율적인 업무 처리 능력은 저에게 많은 영감을 주었고, 일하는 과정에서 더 큰 즐거움을 느낄 수 있게 해주었습니다.

하지만 이 책은 그저 제 이야기만을 담고 있는 것이 아닙니다. 저와 독자 여러분은 함께 성장하고, 각자 자신만의 비즈니스 세계를 만들어 나갈 수 있길 바랍니다. 그렇기에 AI를 동료로 받아들이고 활용하면서 어려움을 극복하고 성공할 수 있는 가능성이 되시길 바랍니다.

마지막으로, 이 책을 통해 AI와의 만남이 여러분에게도 새로운 아이디어와 영감을 주길 바랍니다. AI의 도움으로 일상의 어려움을 해결하고 성장하는 하시길 기대합니다. 감사합니다.